くまのみ

イソギンチャクから
出(で)てきてみたけど
やっぱりすみっこに
かくれるのがおちつく。

はりせんぼん

おだやかな性格(せいかく)。
はりせんぼんなのに
はりゼロほん。ふぐに
まちがえられるのがなやみ。

くらげ

流(なが)されたくなくて
すみっこにいる。
海(うみ)をカラフルに
いろどる。

おさんぽに　でかけることにしました。

むずかしさ

むずかしい

すずめ

ただのすずめ。
とんかつを気に入って
ついばみにくる。

ふろしき

しろくまのにもつ。
すみっこのばしょとりに
使われる。

しろくまが　ぬいぐるみをなおしてあげました。

むずかしさ

ふつう

とかげ

だいじにしているおかあさんの
ぬいぐるみをしろくまに
なおしてもらった。
これからもだいじ。

わた

だいじにされたぬいぐるみ
だけに入っている
とくべつなわた。

とかげのおうちの森の中で　あそびました。

むずかしさ

かんたん

とかげ（本物）

とかげのともだち。
森でくらしている本物の
とかげ。細かいことは
気にしないのんきな性格。

きのこ

森でくらしているきのこ。
じつはカサが小さいのを
気にしていて大きいのを
かぶっている。

もぐら

地下のすみっこにひとりで
くらしていたもぐら。
上がさわがしくて
気になって出てきた。

おかいものに こっそりついていきました。

むずかしさ

えびふらいのしっぽ

かたいから食べのこされた。
なかよしのとんかつのために
おつかいに行くことに。

あじふらいのしっぽ

かたいから食べのこされた。
のこることができてラッキーだと
思っているポジティブな性格。

きょうは　おうちで　おべんきょう。

むずかしさ

かんたん

とんかつ

食べのこされた
とんかつのはじっこ。
おにく1%、しぼう99%

にせつむり

かたつむりのふりをした
じつはからを
かぶったなめくじ。

おばけ

こわがられたくない
おばけ。マスターの
コーヒーにほれて
喫茶店でバイトをしてる。

ねこのきょうだいに　であいました。

むずかしさ

 むずかしい

ねこ

はずかしがりやで
体型(たいけい)を気(き)にしている。
きょうだいと出会(であ)えて
とてもうれしい。

ねこのきょうだい（グレー）

ねこ3きょうだいの一匹(いっぴき)。
好奇心(こうきしん)おうせいで
元気(げんき)いっぱい。
ねこと同(おな)じくいしんぼう。

ねこのきょうだい（トラ）

ねこ3きょうだいの一匹(いっぴき)。
いつも眠(ねむ)そうな顔(かお)で
のんびりしている。
ねこと同(おな)じくいしんぼう。

ここは　ぺんぺんアイスクリーム屋さん。

むずかしさ

 むずかしい

ぺんぎん？

メロンアイスに感動！
ゆくゆくはスイカアイスに
きゅうりアイスも
作っちゃうかも？

ぺんぎん（本物）

しろくまが北にいたころに
出会ったともだち。
とおい南からやってきて
世界中を旅している。

おこづかいをもらって ひとりでおつかい。

むずかしさ

ふつう

ざっそう

いつかブーケにして
もらうという夢をもつ
ポジティブな草。

ほこり

すみっこによくたまる
ふわふわした
のうてんきなやつら。

1 Sokutei
Minna no size o hakarimasu.
2 Katagami
Hakatta size kara katagami o tsukurimasu.
Look!
CUTTING...
3 Stitch
Kiji o teinei ni nuiawasemasu.
4 Cotton
Wata o irete fukkura sasemasu.
5 Ribbon
Ribbon o maite dekiagari.
6 Gift
Kokoro ga pokapoka ni narimashita.
Sumikko gurashi™
Minna e shirokuma kara no tezukuri no okurimono.

たくさんの　ぬいぐるみをつくりました。

まちがいのかず
13

むずかしさ

ふつう

1. Sokutei
Minna no size o hakarimasu.

2. Katagami
Hakatta size kara katagami o tsukurimasu. *Look!*

CUTTING...

3. Stitch
Kiji o teinei ni nuiawasemasu.

5. Ribbon
Ribbon o maite dekiagari.

4. Cotton
Wata o irete fukkura sasemasu.

6. Gift
Kokoro ga pokapoka ni narimashita.

Sumikko gurashi™
Minna e shirokuma kara no tezukuri no okurimono.

しろくま

手先が器用なしろくまは
ぬいぐるみをてづくり。
みんなによろこんでもらえて
こころがぽかぽかに。

たぴおか

ミルクティーだけ
先にのまれて
のこされてしまった。

ブラックたぴおか

ふつうのたぴおかより
もっとひねくれている。

まちがいさがしのこたえ

とかげのおうちの森の中で あそびました。

海のすみっこでくらす「うみっコ」たち。

おかいものに こっそりついていきました。

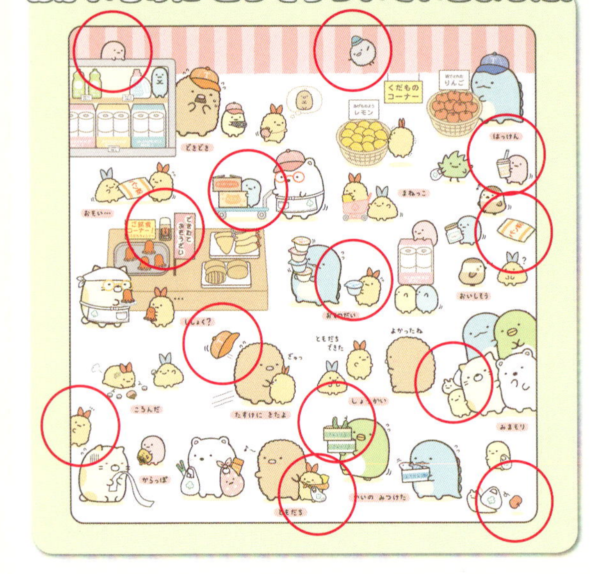

おさんぽに でかけることにしました。

きょうは おうちで おべんきょう。

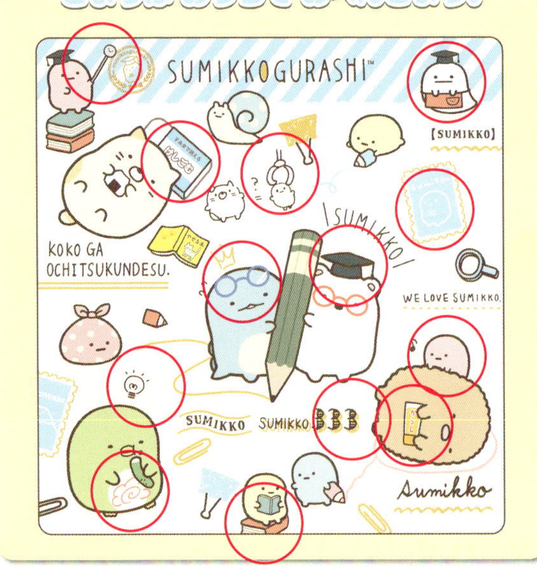

しろくまが ぬいぐるみをなおしてあげました。